Carola Hoffmann / Christa Lippich

TING Rätselspaß für Vorschulkinder

Logisches Denken, Lesen und Rechnen
spielend lernen

Kapitel 3:
Zählen und kombinieren

Liebe Eltern,

Kinder lernen beim Spielen. Der TING Rätselspaß für Vorschulkinder verbindet beides: Spielen und Lernen.

In diesem Buch kann Ihr Kind vieles entdecken: Suchaufgaben, bei denen man ganz genau schauen muss und viele abwechslungsreiche Übungen aus der Welt der Buchstaben, Mengen und Zahlen. Alle Aufgaben können beliebig oft wiederholt werden und haben unterschiedliche Schwierigkeitsgrade. Manche sind ganz leicht, sodass sich ein Erfolgserlebnis rasch einstellt, bei anderen heißt es Nachdenken und Ausprobieren. So lernen Vorschulkinder im Alter von 4 bis 6 Jahren spielend Wahrnehmen und Zuordnen, das Alphabet, erstes Zählen und Rechnen sowie das Unterscheiden von Formen und Mengen.

Durch Antippen des Einführungstextes mit dem TING Hörstift erfährt Ihr Kind, was zu tun ist. Es kann dann selbst bestimmen, wie schnell es eine Übung machen möchte. Der Hörstift sagt, was richtig oder falsch ist, gibt Anweisungen oder fordert zum Nachsprechen auf. Damit lernt Ihr Kind ganz nebenbei durch Zuhören und Nachahmen – so, wie es immer gelernt hat.

Die kleine Ente Holly ist dabei ein liebevoller Begleiter. Sie gibt Tipps und erzählt lustige Geschichten oder Wissenswertes zu Themen, die ihr Kind interessieren.

Ihr Kind soll Spaß am Lernen und Vertrauen in die eigenen Fähigkeiten entwickeln, ohne überfordert zu sein. Genau das leistet dieses Buch zusammen mit TING – Der Hörstift.

Ich wünsche Ihnen und Ihrem Kind viel Freude beim Rätseln, Zuhören und Entdecken.

Ihre Carola Hoffmann

Tippe mich an!

Auf dem Bauernhof

Auf dem Bild kannst du viele Tiere entdecken. Weißt du wie sie heißen? Tippe sie der Reihe nach an, dann erfährst du ihre Namen. Ein Tier lebt nicht auf einen Bauernhof. Welches? Tippe es an.

Was gehört zusammen?

Paul räumt nicht gerne auf. Jetzt hat er ein schreckliches Durcheinander. Hilfst du ihm beim Ordnen? Immer zwei Bilder sind gleich. Tippe sie nacheinander an.

Was stimmt da nicht?

Schau genau. Welches Motiv passt nicht in die Reihe.
Suche es mit deinem TING, er verrät dir, ob du richtig
liegst.

Auf dem Spielplatz

Endlich scheint die Sonne, alle Kinder freuen sich und sind draußen beim Spielen. Kannst du die eingekreisten Elemente im Bild wiederfinden? Tippe zunächst auf den runden Ausschnitt und dann auf die passende Stelle im Bild.

Das mag ich am liebsten

Jedes der abgebildeten Tiere hat sein Lieblingsfutter.
Du weißt ganz bestimmt welches. Tippe zuerst auf das
Tier und dann auf das richtige Futter. Wenn du alle Paare
gefunden hast, verrät dir Holly was Enten gerne mögen.

Aufgewacht

Das Puzzle ist noch nicht ganz fertig. Weißt du, wo die fehlenden Teile hin gehören? Tippe auf das Puzzlestück und dann auf die entsprechende Lücke im Bild. Wenn du fertig bist, kannst du auf den Schnabel des Hahns tippen. Vorsicht, es wird laut!

Kreuz und Quer

Jedes Tier weiß genau wohin es will. Aber welcher Weg ist der Richtige? Tippe mit dem Stift zuerst auf das Tier und fahre dann die Linie entlang. Das Geräusch hilft dir auf dem richtigen Weg zu bleiben.

Vier Jahreszeiten

„Es war eine Mutter, die hatte vier Kinder. Den Frühling, den Sommer, den Herbst und den Winter." Jedes große Bild steht für eine Jahreszeit. Aber welches der Bilder in der Mitte gehört dazu? Tippe auf eine Jahreszeit und dann auf das passende Bild.

So ein Früchtchen

Mmmh, Obstsalat schmeckt so fein und ist so gesund. Finde heraus, welche Zutaten hinein gehören und welche nicht. Suche mit deinem TING alle Früchte.

Königlicher Irrgarten

Der kleine Prinz hat den Teddy seiner Schwester im Irrgarten versteckt. Jetzt ist die Prinzessin traurig. Welchen Weg muss sie gehen, damit sie ihren Teddy wieder findet? Beginne am Eingang und folge mit dem Stift dem Weg.

Du hörst sofort, wenn du in die falsche Richtung läufst.

So ein Schlamassel

Wer hat denn da seine Schuhe nicht aufgeräumt? Überall liegen sie einzeln herum. Hilfst du mit, sie zu ordnen? Tippe die Paare, die zueinander gehören nacheinander an. Ein Paar gehört Mama. Findest du es?

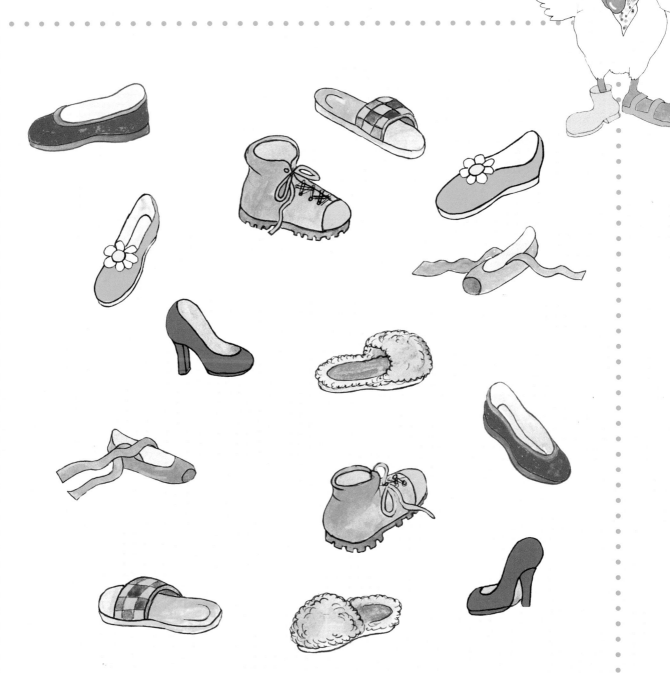

Rundherum

So sehe ich von Vorne und so von Hinten aus. Aber welches Gesicht gehört zu welchem Rücken? Tippe nacheinander an, was zusammen passt und beginne mit der oberen Reihe.

Versteckspiel

Paul besucht seine Oma gerne, weil sie viele Katzen hat. Manche sind jedoch scheu und verstecken sich vor ihm. Suche alle Katzen auf dem Bild mit deinem TING. Wenn du glaubst, dass du alle gefunden hast, tippe auf Holly.

So sieht meine Mama aus

Auf unserer Erde gibt es viele verschiedene Völker. Sie haben unterschiedliche Lebensweisen und Sprachen. Und sie unterscheiden sich im Aussehen. Weißt du welches Kind zu welcher Mama gehört? Tippe zuerst auf das Kind und dann auf die richtige Mama.

Krachmacher

Nicht nur Kinder machen Lärm. Auch Erwachsene können mit ihren Maschinen und Geräten ziemlich laut sein. Suche die Krachmacher und tippe auf Holly, wenn du sie alle entdeckt hast.

Im Einsatz

Jedes Einsatzfahrzeug hat eine bestimmte Aufgabe. Du weißt
sicher, welches Auto zu welchem Einsatz fährt. Tippe zuerst auf das
Fahrzeug und dann auf das passenden Ereignis.

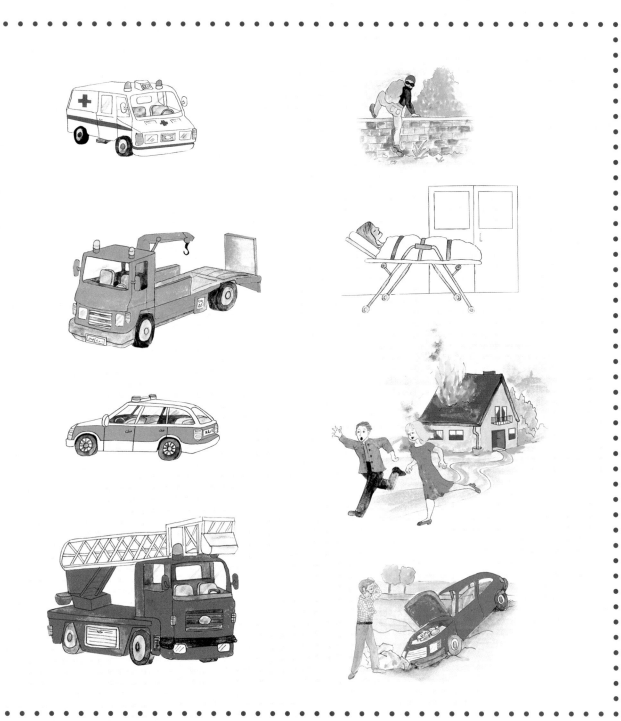

Flieg Drachen, flieg

Endlich kann Paul seinen Drachen steigen lassen. Schau dir die beiden Bilder genau an. Sie sind nicht völlig gleich. Tippe die sechs Unterschiede im rechten Bild an. Wenn du denkst, dass du alle gefunden hast, tippe auf den Drachen.

Spaß im Freien

So geht das nicht. Jedes Kind hat etwas vergessen. Tippe zuerst auf den Gegenstand und dann auf das dazu gehörende Kind. Wenn du alle Paare gefunden hast, erzählt dir Holly etwas über kalte Füße.

Schau genau

Immer zwei Karten ergeben ein vollständiges Bild. Schau genau hin, dann findest du ganz bestimmt heraus welche es sind. Tippe die jeweils zusammen gehörenden Hälften nacheinander an.

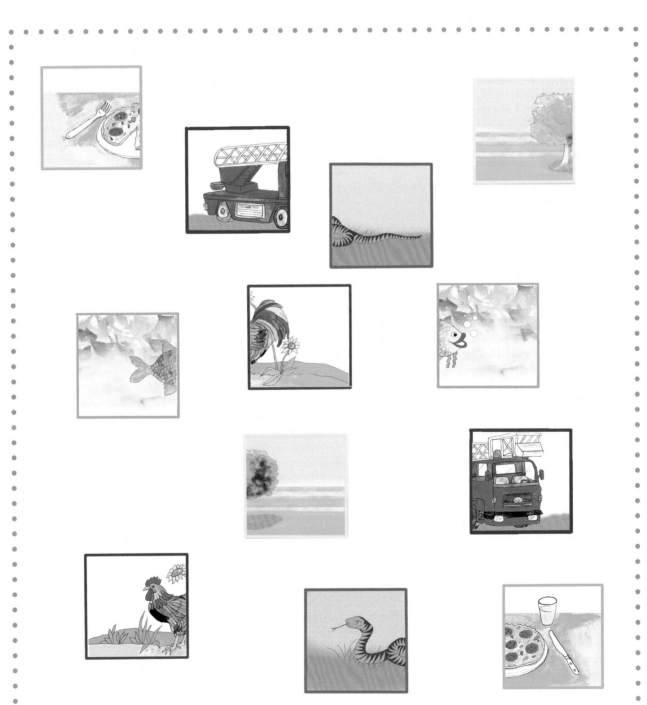

Verirrt

So ein Mäusebau hat unter der Erde ganz viele Gänge und Schlupflöcher. Da kann es schon passieren, dass sich eine kleine Maus schnell verirrt. Weißt du, welcher Gang zu ihrer Familie führt? Der Stift hilft dir den richtigen Weg zu finden.

Immer diese Putzerei

Einmal im Jahr macht Mama großen Frühjahrsputz. Sie hängt alle
Bilderrahmen ab, um sie ab zu stauben. Paul muss sie wieder zurück
an die Wand hängen. Aber wohin gehört welches Bild?
Tippe zuerst auf die leere Stelle und dann auf das
passende Bild.

Party

Die kleinen Raben feiern eine große Party. Dabei geht es wild zu und vor dem Nachhause gehen muss jeder seine Socken suchen. Tippe zuerst auf einen Raben und dann auf das richtige Sockenpaar.

Schau genau

So viele Süßigkeiten. Die schaust du dir sicher gerne ganz genau an. Fällt dir etwas auf? Ein Tipp: Die Süßigkeiten in jeder Reihe sind nicht alle gleich. Eine Süßigkeit passt nicht dazu. Welche ist es? Tippe an.

Anfangsbuchstaben erkennen

Wie heißen die Tiere? Sprich die Wörter laut aus. Zu welchem Tier gehört welcher Anfangsbuchstabe? Zeichne mit dem Stift die Linie vom Tier zum richtigen Buchstaben nach. Wenn du auf der richtigen Spur bist, hörst du ein typisches Geräusch des Tieres.

Auf dem Nachhauseweg

Lena kann nach dem Kindergarten schon alleine nach Hause gehen. Dabei muss sie sehr aufmerksam sein und viele Schilder beachten. Auf drei Schildern steht ein Buchstabe. Tippe zuerst den Buchstaben am unteren Bildrand an und suche ihn dann im Bild.

Wörter und Anfänge

Welchen Buchstaben hörst du am Anfang? Tippe zuerst auf das Bild und dann auf den passenden Buchstaben in der Mitte.

In der Hexenschule

Die kleine Hexe hat nur Unsinn im Kopf. Deshalb schreibt sie manche Buchstaben falsch an die Tafel. Einige stehen auf dem Kopf und andere sind verkehrt herum. Welche Buchstaben sind falsch? Tippe sie an.

Einer zu viel

Jedes Geburtstagskind bekommt einen Luftballon mit dem Anfangsbuchstaben seines Namens. Aber der Clown hat sich vertan. Einen Buchstaben gibt es gleich zwei Mal. Welcher ist es? Tippe die Buchstaben an und finde es heraus.

Das R am Anfang

Welche Wörter beginnen mit einem **R**? Sprich die Wörter zu den Bildern laut aus, dann weißt du es. Tippe zuerst auf den Buchstaben **R** in der Mitte und dann auf das Bild.

Höre den Unterschied

Sprich die Wörter zu den Bildern deutlich aus und tippe sie an.
Welchen Buchstaben hörst du am Anfang? Ein **P** oder ein **B**?
Verwende deinen TING um zu prüfen, ob es stimmt.

Eiszeit

Welcher Anfangsbuchstabe gehört zu welcher Eissorte? Tippe zuerst auf den Buchstaben am Eiswagen und dann auf die passende Eissorte auf dem Schild.

Sonne, Sand und Seepferdchen

Auf dem Bild haben sich viele Wörter mit dem Anfangsbuchstaben **S** versteckt. Kannst du sie alle finden? Tippe sie nacheinander an.

Dazwischen gemogelt

In jeder Reihe hat sich ein Wort mit dem Anfangsbuchstaben **I**
versteckt. Sprich die Wörter zu den Bildern laut aus und finde das **I**.
Tippe das richtige Bild an.

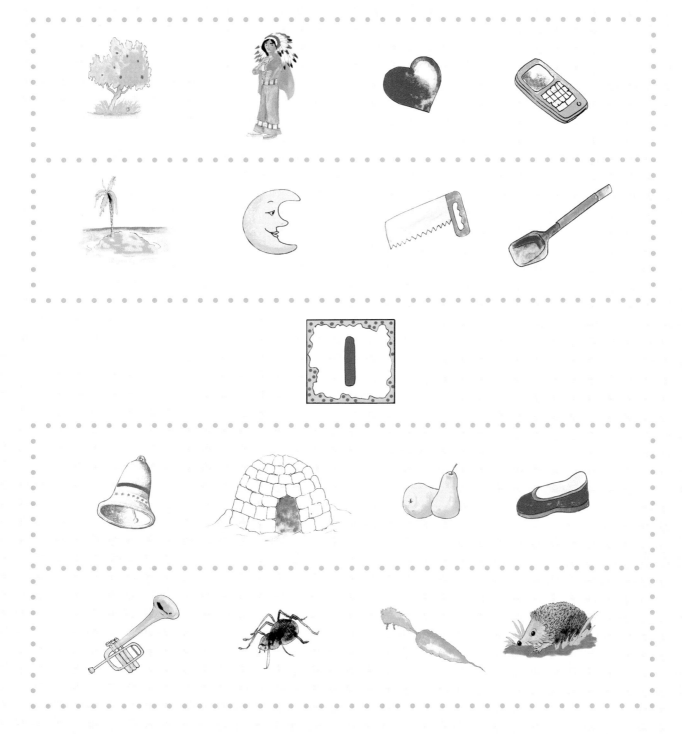

Rund ums Z

Sprich dir die Wörter zu den Bildern vor. Welche
Wörter beginnen mit einem **Z**? Wenn du alle mit
deinem TING gefunden hast, erfährst du von Holly
etwas über Milchzähne.

M wie Mond

Wann hörst du den Anfangsbuchstaben **M**? Tippe zuerst auf das Bild und dann auf den großen Buchstaben in der Mitte.

Guten Appetit

Der freche Kobold kocht sich eine Suppe. Alles, was er gerne isst beginnt mit einem **K**. Hilf ihm, seine Lieblings-Zutaten in den Topf zu werfen.

Buchstaben Erkennen

Sprich zu jedem Bild in der Reihe das Wort laut aus. Ein Wort beginnt mit dem Buchstaben, der am Anfang der Reihe steht. Finde heraus, welches Tippe zuerst auf den Buchstaben und dann auf den richtigen Gegenstand.

Hartes T oder weiches D?

Manche Tiere haben ein **T** und andere ein **D** als Anfangsbuchstaben. Sprich dir die Wörter vor und hör genau. Welcher Buchstabe steht am Anfang? Tippe ihn an.

Verfangen

Im Spinnennetz haben sich viele Insekten verfangen.
Mit welchem Buchstaben beginnen ihre Namen?
Tippe zuerst auf den Buchstaben unter dem Bild und
dann auf das Krabbeltier.

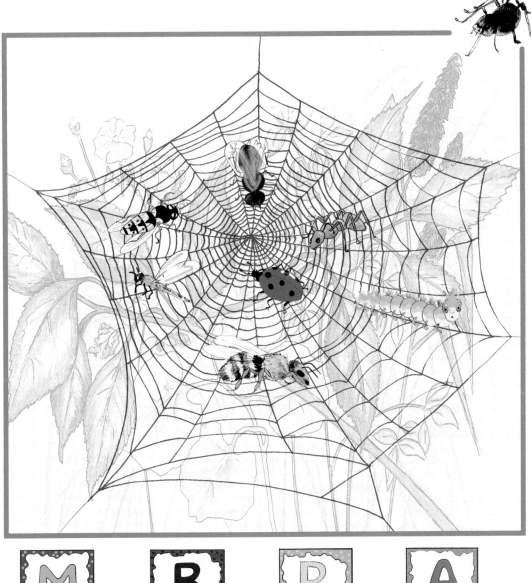

Wo ist das O?

Sprich dir die Wörter zu den Bildern laut vor. Wo hörst du ein **O**? Am Anfang, in der Mitte oder am Schluss? Tippe das richtige Sternchen unter dem Bild an.

Durcheinander gewirbelt

Ein Wirbelsturm reißt viele Dinge in die Luft und nimmt sie mit. Welche Gegenstände, die mit dem Buchstaben **H** beginnen, kannst du im Wirbelsturm erkennen? Sprich die Wörter zu den Bildern aus. Tippe auf alle Bilder mit dem Anfangsbuchstaben **H**.

Gerechtes Teilen

Lena teilt Fruchtgummis mit ihren Freundinnen Anni und Elisa. Jede Freundin bekommt die Anfangsbuchstaben ihres Namens. Tippe zuerst auf Anni und dann nacheinander auf alle **A**, tippe auf Elisa und suche dann die Buchstaben **E**. Lena isst zuerst alle mit dem Buchstaben **L** und dann den ganzen Rest.

Von U bis Z

In jeder Reihe ist ein Gegenstand abgebildet, der mit dem Buchstaben am Anfang der Reihe beginnt. Tippe auf den Buchstaben und dann auf das richtige Bild.

Das wilde W

Sprich dir die Wörter zu den Bildern vor. Welches Wort beginnt mit einem **W**? Tippe zuerst das Wort an und dann den Buchstaben in der Mitte.

Hör genau

Welchen Buchstaben hörst du am Anfang des Wortes? Tippe auf das Bild und dann auf den passenden Anfangsbuchstaben.

Wo hörst Du das N?

Hör dir das Wort zu jedem Bild genau an. Wo kommt das **N** vor? Am Wortanfang, in der Mitte oder am Wortende? Tippe auf das entsprechende Sternchen.

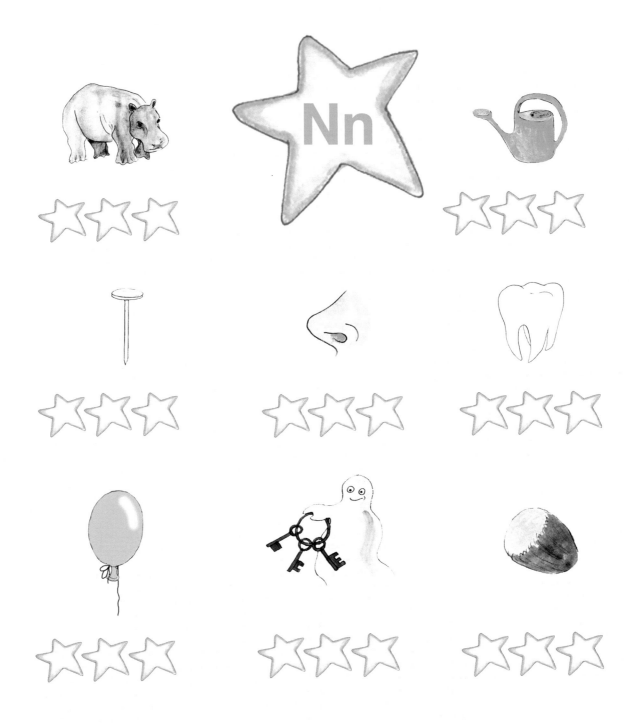

Tiere im Wald

Auf einer Nachtwanderung kann es richtig unheimlich sein und man begegnet vielen Tieren. Tippe alle Tiere an, in deren Namen Du ein **F** hörst.

P oder nicht P – das ist die Frage

Paul sammelt Sticker von Gegenständen, die den selben Anfangsbuchstaben haben wie sein Name, ein **P**. Aber er hat nicht aufgepasst. Welche vier Bilder sind falsch? Sprich die Wörter zu den Bildern laut aus und tippe dann die an, die nicht mit einem **P** beginnen.

Gut geschaut

Manche Wörter sehen beinahe gleich aus. Deshalb musst du genau hinschauen, denn in jeder Reihe passt ein Wort nicht dazu. Tippe es an.

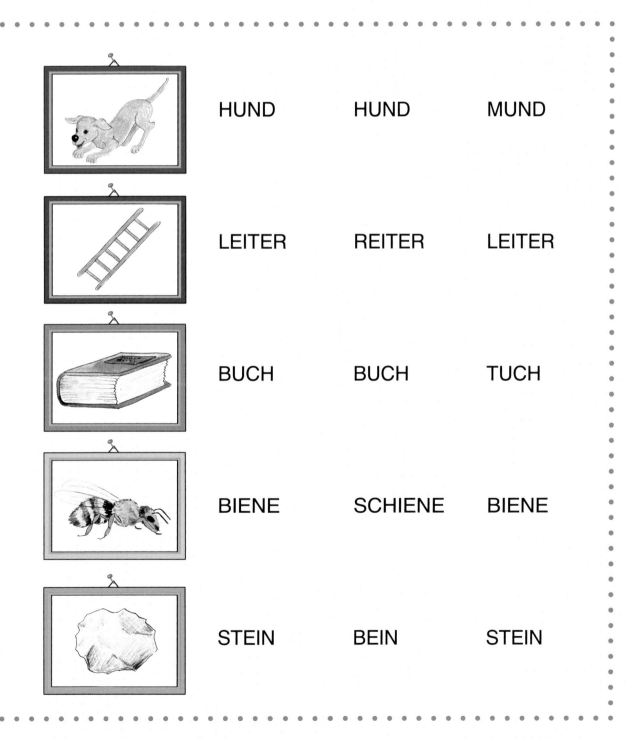

HUND	HUND	MUND
LEITER	REITER	LEITER
BUCH	BUCH	TUCH
BIENE	SCHIENE	BIENE
STEIN	BEIN	STEIN

Ab in die Wanne

Tim war den ganzen Tag draußen beim Spielen. Jetzt ist er schmutzig und darf baden. Tippe alle Sachen an, die er im Bad sehen kann und in denen du ein **sch** hörst.

Seltsamer Einkauf

Mama hat sich beim Einkaufen ein Spiel überlegt. Lola soll nur Lebensmittel in denen ein **ch** vorkommt, in den Einkaufswagen legen. Hilfst du ihr beim Suchen? Sprich die Wörter zu den Bildern laut vor und tippe an, wo du ein **ch** hörst.

Wo steckt das T?

Sprich zu jedem Bild das Wort laut aus. Wo kommt das **T** vor? Am Anfang, in der Mitte oder am Schluss? Tippe auf das richtige Sternchen unter dem Bild.

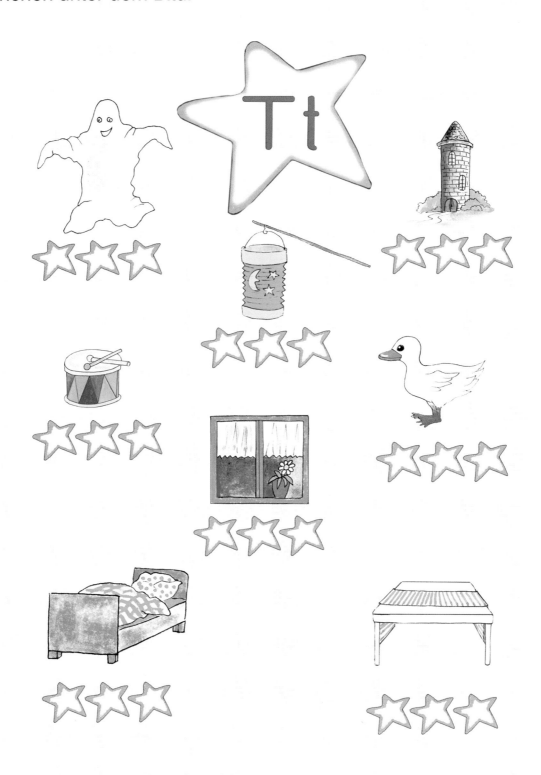

Ohne die geht es nicht

Welche Tiere siehst du auf den Bildern? Sprich jedes Wort zu den Bildern deutlich aus. Welcher Buchstabe fehlt? Tippe auf die Buchstaben im Kästchen und dann auf das richtige Bild.

| a | e | i | o | u |

Fl __ dermaus

Gir __ ffe

K __ ala

H __ nd

Sch __ ldkröte

Zusammengesetzt

Immer zwei Bilder ergeben ein neues Wort. Finde das Wort, indem du auf die zwei nebeneinander stehenden Bilder tippst und dann auf das Lösungsbild in den hellblauen Kreisen, welches das neue Wort ergibt.

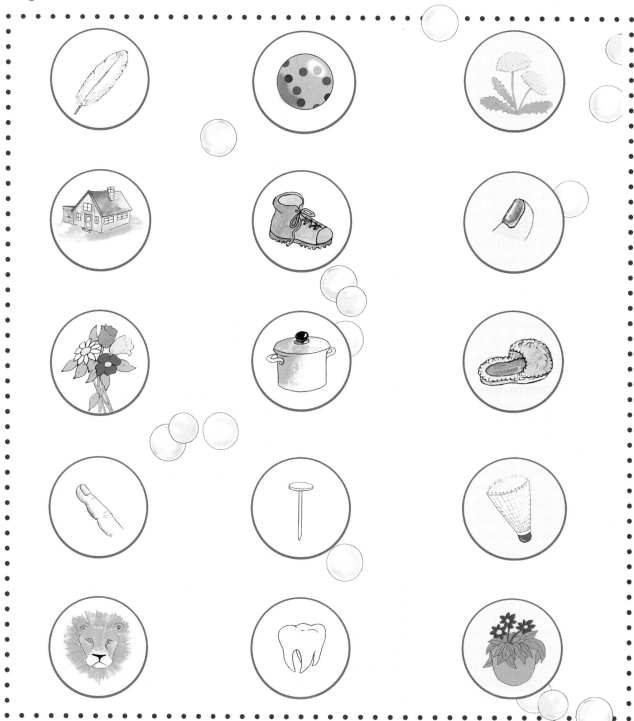

Was reimt sich?

Was siehst du auf den Bildern? Sprich die Wörter laut aus. Immer zwei Wörter reimen sich. Tippe sie nacheinander an.

Schneckenrennen

Auf der großen Schnecke findest du die Buchstaben, die in den Wörtern fehlen. Tippe auf das Wort und dann auf den Buchstaben. Wenn du alle Buchstaben gefunden hast, gehe mit deinem TING auf das Schneckenhaus und du hörst das Wort, das sich aus den gefundenen Buchstaben ergibt.

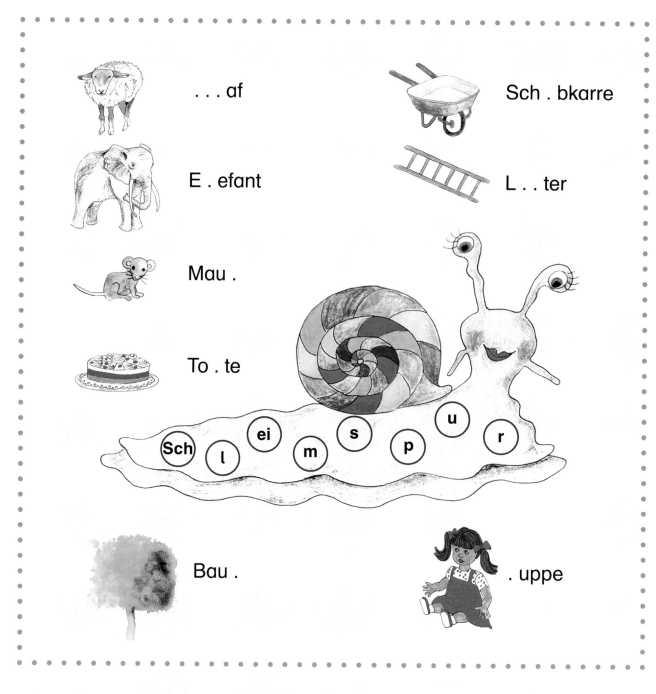

. . . af

Sch . bkarre

E . efant

L . . ter

Mau .

To . te

Bau .

. uppe

Hörst Du das L

Hör dir das Wort genau an. Wo kommt das **L** vor? Tippe auf den entsprechenden Stern: Am Anfang, in der Mitte oder am Schluss.

Silben erkennen

Tippe die drei Silben neben dem Bild nacheinander an und sprich dann das Wort zu dem Bild aus. Welche Silbe passt? Tippe zuerst auf das Bild und dann auf die richtige Silbe.

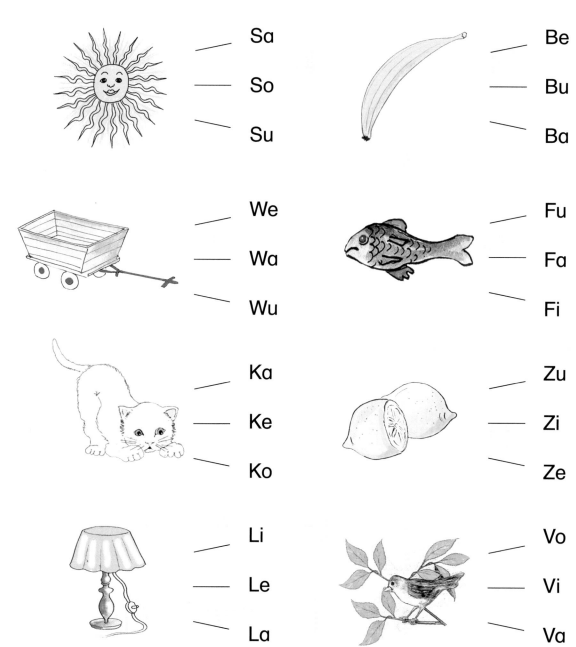

Sa		Be	
So		Bu	
Su		Ba	
We		Fu	
Wa		Fa	
Wu		Fi	
Ka		Zu	
Ke		Zi	
Ko		Ze	
Li		Vo	
Le		Vi	
La		Va	

Welche Silbe passt?

Sprich das Wort zu dem Bild aus. Welche der drei Silben im gelben Kästchen gehört zu der Anfangssilbe im blauen Kästchen? Tippe zuerst das blaue und dann das richtige gelbe Kästchen an.

63

Kunterbuntes Wörterrätsel

Kannst du die vier Wörter, die in der unteren Zeile stehen auch im Rätsel finden? Tippe die unter- oder nebeneinander stehenden Buchstaben in der richtigen Reihenfolge an. Wenn deine Lösung stimmt, hörst du das Wort.

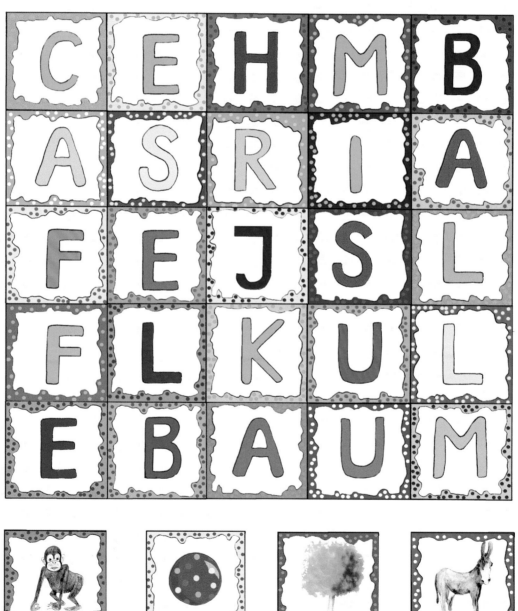

 AFFE   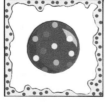 BALL    BAUM    ESEL

Verzaubert

Die kleine Hexe hat alle Wörter verzaubert. Findest Du heraus, wie sie richtig lauten? Wenn du die Buchstaben in jedem Bild in der richtigen Reihenfolge antippst, hörst du das ganze Wort.

Erste Wörter lesen

Was siehst du auf dem Bild? Schau dir die drei Wörter neben dem Bild genau an und tippe sie nacheinander an. Jetzt weißt du, wie das Wort zu dem Bild aussieht. Tippe dann auf das Bild und zuletzt noch mal auf das passende Wort.

Küche

Kuchen

Kerze

Hose

Dose

Rose

Tulpe

Tiger

Tasse

Hand

Hemd

Hund

Schaufel

Schaufenster

Schaukel

Wurm

Turm

Sturm

Laus

Haus

Maus

Amsel

Ampel

Ameise

Das ganze ABC

Jetzt kennst du das ganze **ABC** und du findest leicht die Wörter zu den jeweiligen Anfangsbuchstaben. Tippe zuerst auf den Buchstaben am Rand und dann auf das passende Bild.

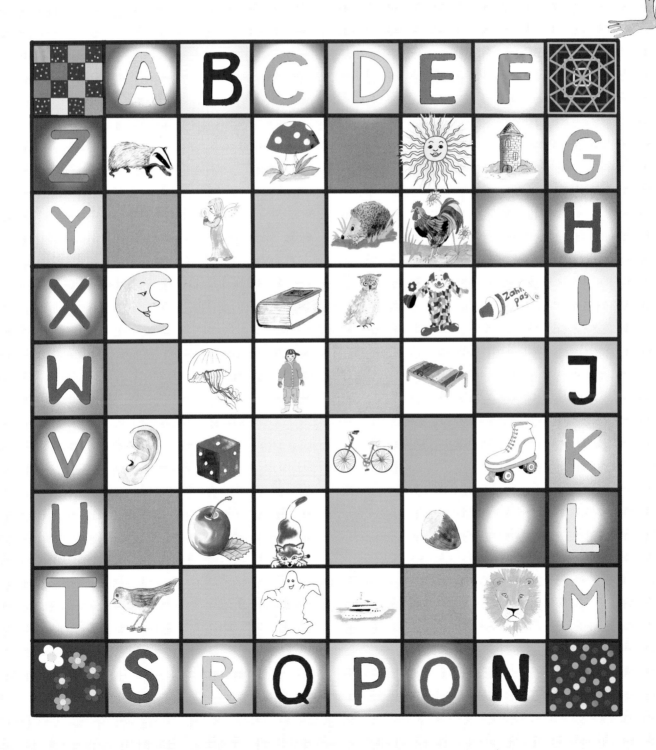

Erste Zahlen

Um rechnen zu können musst du erst einmal wissen, wie die Zahlen aussehen und was sie bedeuten. Zähle die gestreckten Finger, tippe dann darauf und suche anschließend die dazu passende Zahl. Die Farbe derHandschuhe hilft dir dabei.

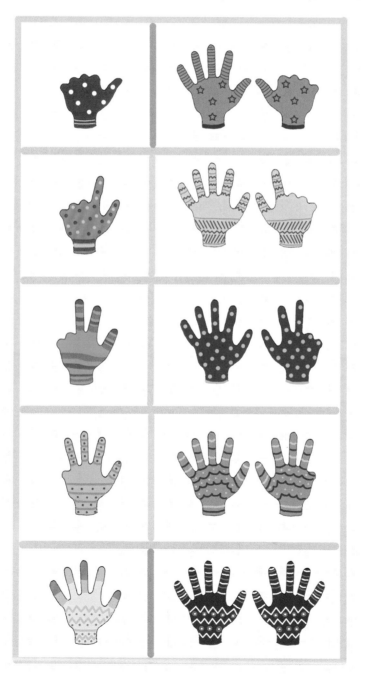

Vorwärts Zählen

Wie kommt die Maus an den Käse? Tippe die Zahlen von **1** bis **9** nacheinander an, dann findest du den richtigen Weg.

Runde Sache

Wie viele Räder haben die unten abgebildeten Fahrzeuge? Tippe zuerst auf das Fahrzeug und dann auf die passende Zahl.

Wer glitzert da im Meer?

Regenbogenfische haben schöne Glitzerschuppen. Auf dem Bild haben manche Fische **5** und andere **7** Glitzerschuppen. Der König unter ihnen ist besonders farbenprächtig. Er hat **10** Glitzerschuppen. Zähle von jedem Fisch die Schuppen, tippe auf den Fisch und dann auf die richtige Zahl.

Beine oder keine?

Es gibt Tiere mit **6**, mit **4** oder mit **2** Beinen. Manche haben sogar gar keine, also **0** Beine. Zähle die Beine von jedem Tier. Tippe auf das Tier und danach auf die richtige Zahl.

Zahlensuche

Im Garten haben sich die Zahlen eins bis neun versteckt. Suche sie und tippe sie in der richtigen Reihenfolge nacheinander an. Wenn du alle gefunden hast, tippe auf Holly und du bekommst tolle Garten-Tipps.

Zähle nach

Wie viele Gegenstände zählst du in jedem Feld mit deinem TING?
Tippe die richtige Zahl an.

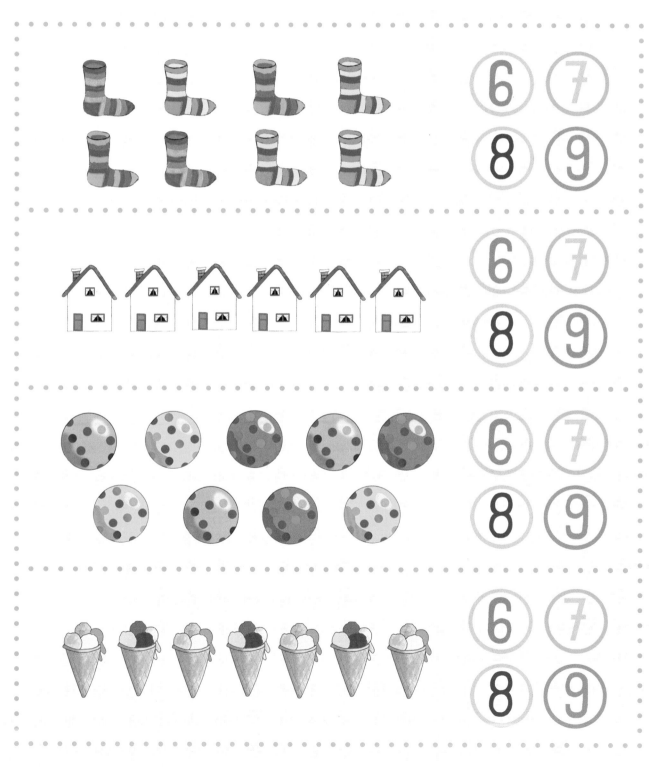

Hübsche Aussichten

Der Froschkönig will endlich seinen Kuss und hüpft in großen Sprüngen zur Prinzessin. Auf jedem vierten Stein ruht er sich kurz aus. Zähle immer von **1** bis **4**, tippe dann den vierten Stein an und am Ende auf die Prinzessin.

7 Zwerge allein im Wald

Im Wald haben sich 7 Zwerge versteckt. Schneewittchen muss sie suchen. Hilfst du ihr dabei? Tippe die Zwerge nacheinander an und zähle laut. Wenn du meinst, dass du alle gefunden hast, tippe auf Schneewittchen.

Mensch ärgere dich nicht!

Dieses Spiel hast du ganz bestimmt schon oft mit deinen Eltern gespielt. Und sicher kennst du auch die Spielregeln. Genauso funktioniert es hier: Tippe zuerst auf eine Figur im Spiel und rücke dann so viele Felder vor wie der gleichfarbige Würfel anzeigt.

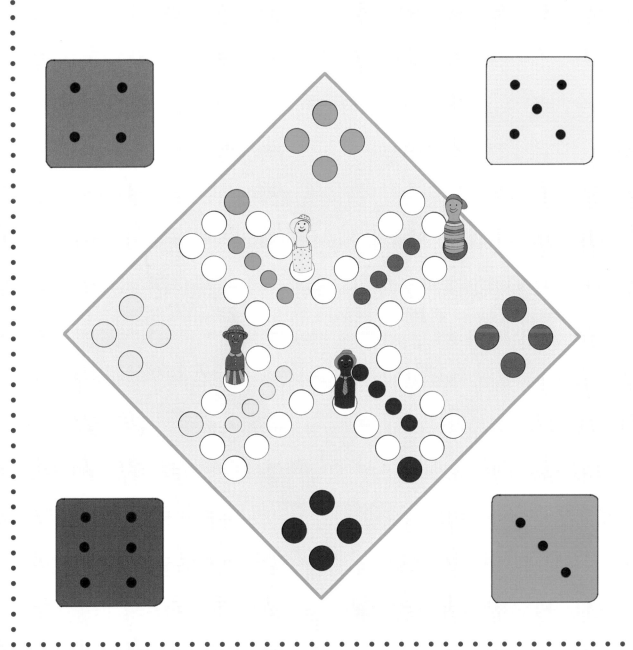

Fleißiges Bienchen

Summ, summ, summ, Bienchen summ herum. Auf dem Nachhauseweg zum Bienenstock sammelt das kleine Bienchen noch fleißig Blütenstaub. Es setzt sich aber nur auf Blumen, die drei Blütenblätter haben. Die Biene verrät dir, ob du alle gefunden hast.

Schloss Schreckenstein

Gespenster brauchen eigentlich keine Schlüssel, weil sie durch Wände und Türen schweben können. Aber zum ordentlich Rasseln und Lärm machen sind Schlüssel ideal. Zähle die Schlüssel von jedem Gespenst, tippe zuerst das Gespenst an und dann auf die richtige Zahl daneben.

Zahlenpuzzle

Immer zwei Kartenhälften gehören zusammen und ergeben eine vollständige Zahl. Tippe zuerst auf die obere Hälfte und dann auf die passende untere Zahlenhälfte.

Käferwiese

Auf der Käferwiese kribbelt und krabbelt es. Schau genau.
Immer zwei Käfer sind gleich. Zähle die Punkte auf den
Marienkäfern und tippe dann die Käfer, die gleich viele
Punkte haben nacheinander an.

Kunterbunt

Rot, blau, grün oder gelb – wie oft wurde welche Farbe verwendet?
Zähle alle Gegenstände, die die selbe Farbe haben und tippe dann
auf die entsprechende Zahl am Rand.

Domino

Mit Dominosteinen kannst du ganz einfach Rechnen lernen. Zähle alle Punkte auf jedem Stein zusammen und tippe dann die richtige Zahl an.

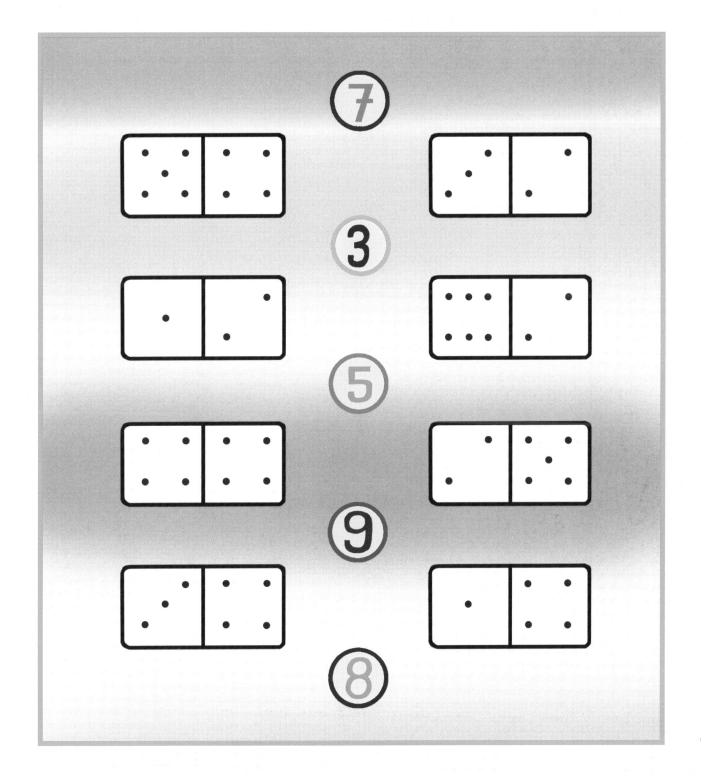

Auf Schatzsuche

Kapitän Morgan und Augenklappen-Jim haben eine Schatzkiste zum Beiboot getragen und dabei einige Teile verloren. Wie viele Teile hat Kapitän Morgan verloren und wie viele Augenklappen-Jim? Zähle alle zusammen und tippe dann auf die richtige Zahl am unteren Bildrand.

Zahlen erkennen

Welche Hundemama läuft zu welchem Korb? Tippe zuerst auf die Hundemama und dann auf den passenden Welpenkorb. Zähle nun die Welpen und tippe mit deinem TING auf die richtige Zahl.

Mengen erkennen

In jedem Feld befindet sich eine bestimmte Anzahl von Dingen. Tippe zuerst auf das Feld, zähle dann und suche zuletzt mit deinem TING die richtige Zahl in der Mitte.

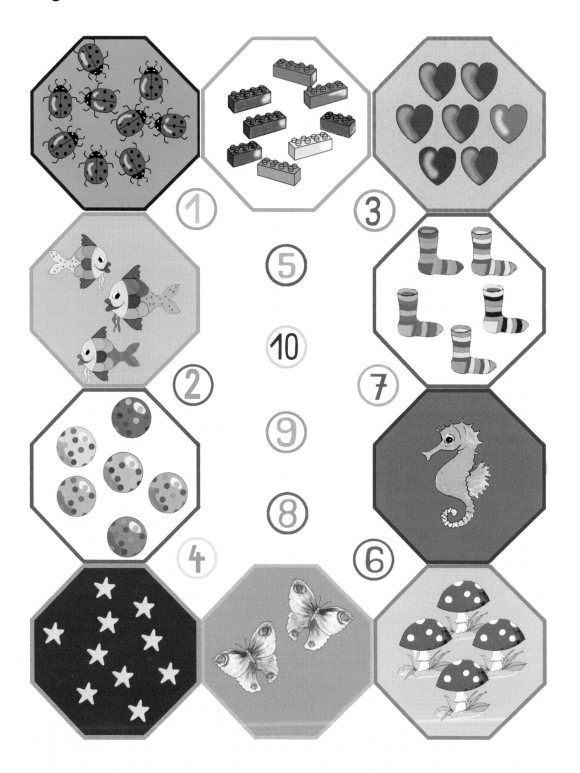

Formen unterscheiden

Paul baut einen Turm. Welche Bauteile hat er verwendet? Die roten, die blauen, die gelben oder die grünen Steine? Schau dir die Formen in der Schachtel genau an und vergleiche sie mit dem Turm. Tippe dann auf die richtige Farbe.

Futter für die Tiere

Ist genügend Futter für die Tiere da? Zähle auf der einen Seite die Tiere und auf der anderen Seite das Futter. Wenn es gleichviel Tiere und Futter gibt, tippe auf = (ist gleich), wenn nicht auf das ≠ (ist nicht gleich).

Jede Menge Obst

In jedem Kreis befindet sich eine bestimmte Menge Obst. Zähle nach: die Äpfel im ersten Kreis und dann die Äpfel im zweiten Kreis. Wie viele sind es insgesamt? Suche dann das passende Ergebnis in der rechten Spalte und tippe es an. Mit den anderen Früchten funktioniert es genauso.

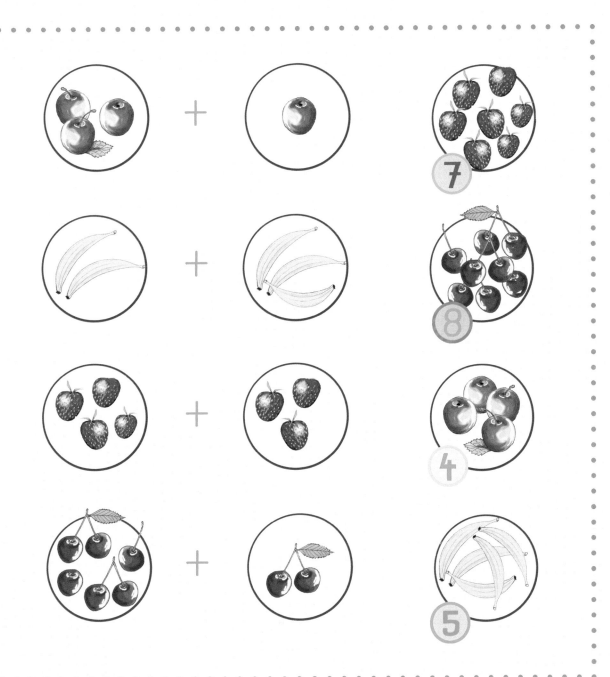

Dinosaurierparade

In jeder Zeile siehst du verschiedene Dinosaurier. Vergleiche die Mengen in den beiden Hälften der Zeilen. Tippe jeweils die Menge an, die größer ist.

Am Südpol

Welche Pinguine springen gleich ins Meer? Zähle nur die Pinguine zusammen, die in Richtung Wasser marschieren. Tippe dann auf die richtige Zahl.

Formen vergleichen

In der unteren Reihe siehst du verschiedene geometrische Formen: ein Rechteck, ein Quadrat, ein Oval, ein Dreieck und einen Kreis. Kannst du diese Formen in den abgebildeten Gegenständen wiederentdecken? Tippe zuerst auf den Gegenstand und dann auf die richtige Form.

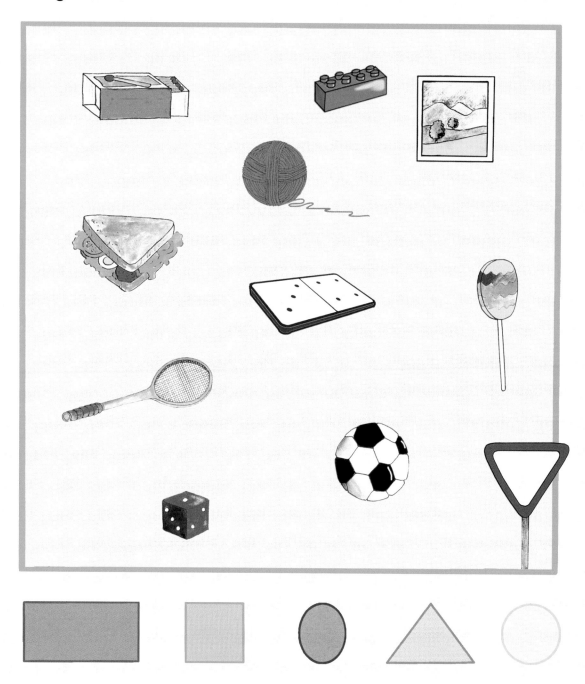

Stäbchenlegen

Mit Stäbchen kann man lustige Figuren legen. Einige Figuren wurden mit **6** Stäbchen gelegt. Kannst du sie alle finden? Tippe mit deinem Stift zuerst auf eine solche Figur und dann auf die Zahl **6**.

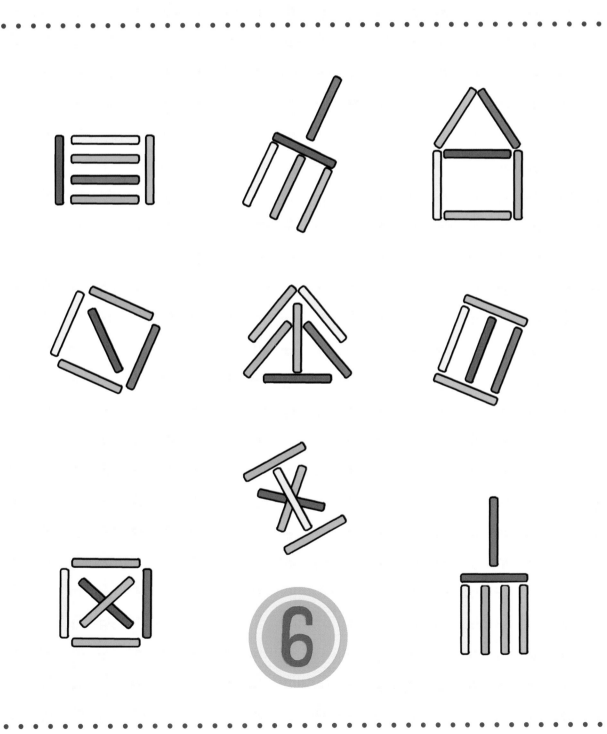

Im Märchenland

Hat jeder Zwerg einen Teller, jeder Frosch eine Krone, jede Hexe einen Besen und jede Elfe einen Glitzerstab? Wenn die Zahl der Zwerge und der Teller gleich ist, tippe auf = (ist gleich), wenn nicht auf das ≠ (ist nicht gleich). Mache es bei den anderen genauso.

Durcheinander gepurzelt

Da stimmt doch was nicht. Die Bildergeschichte ist durcheinander geraten. Ordne sie in die richtige Reihenfolge, indem du zuerst auf das Bild und dann auf die Zahl tippst.

Ein Stift für alle. TING bringt Leben in Bücher und Spiele, egal von welchem Partnerverlag sie sind.

Diese Verlage machen schon bei TING mit.
Und es werden immer mehr.

Oldenbourg

COPPENRATH

sauerländer

VERLAGSHAUS WÜRZBURG

Stürtz • KaJo • Kraft
Weidlich • Flechsig
Rautenberg